1分鐘

1分
読みトレ!

「閱讀素養」訓練

＝快速大腦＋讀懂題目＋專注＋靈活運用

一般社團法人 **日本速腦速讀協會** 著

名校升學班人氣講師 **柳生好之** 監修

劉子韻 譯

野人

具備「快速正確的閱讀理解力」，才能成為未來社會的頂尖人才

你知道在現代社會，正發生巨大的學習變革嗎？

透過入學考試改革和課程大綱的修訂，教育趨勢正轉向要求學生具備「快速精準閱讀文章和資料的能力」以及「能以邏輯思考、整理自己的想法並準確傳達給對方的能力」。這些能力，需要透過小學、國中、高中，培養對各種類型的文章、圖表進行思考和整理，並根據證據進行論述，使接收訊息的一方能夠正確理解。

這不僅僅適用於學校，在工作場所，正確迅速地處理大量訊息、資料和文件的能力也是不可或缺。

為了面對這樣的變化，提高「基礎閱讀理解能力」變得越來越重要。

即便能流暢地「閱讀」一篇文章，也不代表能正確理解其中的內容。「讀懂」一篇文章不只是了解言詞的含義、作用和語法，還要正確掌握文章的結構並理解其內容。最近的調查就顯示，許多孩子由於基礎閱讀理解能力較差，而無法正確閱讀教科書程度的文章。

本書將閱讀理解所需的技能分為6個要素，可以藉由處理各種類型的題目來確認每個技能的實力。

此外，為了讓讀者能在學習和工作場所中更靈活地實際應用，練習題的解題時間都是1分鐘，以便大家在解題時鍛鍊到訊息處理速度。

你真的已經掌握「快速準確的閱讀理解能力」了嗎？

利用本書的問題來確認吧！

一般社團法人 日本速腦速讀協會

親愛的家長，
和孩子一起享受閱讀素養訓練吧！

聽到「閱讀理解能力」這個詞，你會想到什麼？

對於那些擅長國文的人來說，可能會認為是「靠閱讀培養的技能」；相反的，對於那些國文不好的人來說，可能會認為是「努力也無法改變的能力」。

事實上，許多人並不清楚「閱讀理解能力」的重要性，因此在學習國語時往往忽略這項能力，甚至比起其他科目更為不重視。

長期下來，這種狀況導致許多人的「閱讀理解能力」十分低下，甚至連電子郵件都讀不懂。

為了解決這個情況，「速讀訓練」應運而生。

「閱讀理解能力」並不是指透過深入思考來閱讀困難的評論的能力。相反，最重要的是理解文章所寫的內容。

為了正確理解文章，必須依循「文法」和「邏輯」進行閱讀。雖然平常可能少有人注意，但這一點正是「閱讀理解能力」的基礎。本書藉由日常主題，讓讀者進行「文法」和「邏輯」的訓練。優秀的讀者，是在享受閱讀的同時，無意間學習到這些技巧的。

能看到孩子每天進步的成果是種極大的喜悅。

各位家長也請和孩子一起開心學習吧！

Study Sapuri講師 柳生好之

3萬人實證「閱讀理解訓練」，有這本就夠了！

教科書、試題、說明書、信件，你有自信可以正確理解嗎？

現代人經常在玩手機或是使用電腦時，一邊滑動畫面一邊閱讀文章，但這樣往往可能只是不經意間快速瀏覽，而非真正讀懂其中的含意。

- 答題時間不夠多
- 無法讀懂題目的敘述
- 無法集中注意力閱讀

有以上困擾的人，只要擁有這本書就夠了！

書中會教你六大基礎閱讀理解能力。

PART1 掌握架構，秒懂文章！

找出「誰」「做什麼」／「是什麼」／「怎麼樣」，

正確理解文章的基本架構，學習基礎閱讀理解技巧。

PART2 「這個」「那個」，搞錯了就0分！

理解「這」、「那」、「該」等指示詞的對應問題。

正確判斷指示詞對應的事物，練習掌握整體文義。

PART3 看來相似的兩句話，意思真的相同嗎？

用大致相同的詞句所構成的文章，文義是否有所不同？

讀題時需注意文義可能會因語序或表現方式而改變。

PART4 選項中的舉例，是否符合題目？

思考「先決條件資訊」和「實例」之間的關聯性。

整理資訊，確認實例是否符合先決條件。

PART5 讀出題目沒寫的訊息，推理解題線索！
　　運用邏輯推理出未呈現的資訊。
　　一邊關注原因和結果之間的關係，一邊從各個角度來驗證推論。

PART6 圖表好複雜，該先看哪裡？
　　解讀有圖、表格、統計圖表、解說圖的題目。
　　學習如何從包含眾多資訊的圖表中，篩選出所需情報。

無論大人或小孩都能做到！

　　本書獻給所有想要提升閱讀理解能力的人。難字都有標示注音，誰都可以輕鬆學習。

只要1分鐘就能完成！

　　全部問題的「解題時間」都設定為「1分鐘」。因為所需時間很短，所以不太擅於閱讀文章的人也可以輕鬆挑戰。

圖解＋插圖輔助，一眼看懂解析！

　　在解答頁的解析中，能夠立即看見題目中需要關注的重點。即使不善閱讀文章的人也能直觀理解，不會錯失要點。

獲得國文之外的其他科目知識！

　　問題中會出現「磁浮列車」、「生質燃料」、「自產自銷」、「奧運」等日常生活裡常關心的話題。一邊沉浸在解題樂趣中，一邊也能學到國文之外的其他科目知識。

豐富的圖表題！

　　本書並非只有單純的國文閱讀題，亦有豐富的表格、統計圖和解說圖等「圖表」題目，符合新課綱所重視的圖表分析技能。

 解題時間只有1分鐘！

用兼顧「速度」與「正確性」的「閱讀素養訓練」，培養不輸給人工智慧的語文能力！

CONTENTS

1分鐘「閱讀素養」訓練

1

掌握架構，秒懂文章！

文章架構題：連接關係

學會掌握文章的「骨架」！

! POINT

文章中最重要的部分，就是：

$$
\begin{array}{l}
誰 \rightarrow 做什麼？ \\
誰 \rightarrow 是什麼？ \\
誰 \rightarrow 怎麼樣？
\end{array}
$$

意識到這些重點，閱讀文章時就能理解文章的架構，正確掌握內容。

Q 1

時鐘有長針和短針。長針每**1**小時轉動**360**度,每**5**分鐘轉動**30**度。

....

問　請依據上文,想一想以下敘述是否正確?

(　　) 長針和短針中,每**5**分鐘轉動**30**度的是短針。

Q 2

從家裡出發到圖書館需走路約**10**分鐘,到車站則要再走約**15**分鐘。

....

問　請依據上文,想一想以下敘述是否正確?

(　　) 從圖書館走到車站,需要約**5**分鐘。

解答在下一頁 ▶

A1　不正確

誰？

時鐘有長針和短針。長針每1小時轉動360度，每5分鐘轉動30度。

做什麼？

做什麼？

統整一下題目訊息

長針
- ·每1小時轉動360度
- ·每5分鐘轉動30度

❌ 長針和短針中，每5分鐘轉動30度的是短針。

正確答案是「長針」

A2　不正確

家→圖書館

從家裡出發到圖書館需走路約10分鐘，到車站則要再走約15分鐘。

圖書館→車站

統整一下題目訊息

家		圖書館		車站

—— 約10分鐘 ➜ ＋ —— 約15分鐘 ➜

❌ 從圖書館走到車站，需要約5分鐘。

正確答案是「約15分鐘」

Q1

大部分產地因天氣寒冷無法栽植花卉及蔬菜,以致冬季出貨量減少,但在全年氣候溫暖的沖繩,則可以栽植並輸出花卉及蔬菜。

> 問　請依據上文,想一想以下敘述是否正確?

(　　) 全年氣候溫暖的沖繩,在大部分產地出貨量少的冬季,仍可栽種並輸出花卉蔬菜。

Q2

土壤中含有植物生長所需要的養分,但若具備植物成長的必要條件,即使沒有土壤,植物也能成長。

> 問　請依據上文,想一想以下敘述是否正確?

(　　) 植物若缺乏含有生長所需養分的土壤,就無法生長。

解答在下一頁 ▸

A1 正確

大部分產地因天氣寒冷無法栽植花卉及蔬菜，以致冬季出貨量減少，但在全年氣候溫暖的沖繩，則可以栽植並輸出花卉及蔬菜。

統整一下題目訊息

大部分產地	全年溫暖的沖繩
冬季 因天氣寒冷無法栽植花卉及蔬菜，以致冬季出貨量減少	可以栽植並輸出花卉及蔬菜

誰？

○ 全年氣候溫暖的沖繩，在大部分產地出貨量少的冬季，仍可栽種並輸出花卉及蔬菜。 和題目的敘述一致

做什麼？

A2 不正確

土壤中含有植物生長所需要的養分，但若具備植物成長的必要條件，即使沒有土壤，植物也能成長。

誰？ 做什麼？

統整一下題目訊息

條件 植物成長所需要的養分

✕ 植物若缺乏含有生長所需養分的土壤，就無法生長。

即使沒有土，只要條件充足，植物也能生長

Q1

雖然江戶時代限制其他國家文化傳入，但在之後的明治時代，則大量地引進歐美文化。

> **問** 請依據上文，想一想以下敘述是否正確？

（　）禁止他國文化傳入是明治時代之前的事情。

Q2

二十四節氣將一年分為**24**等分，用來表示季節變化，例如夏至、冬至。

> **問** 請依據上文，想一想以下敘述是否正確？

（　）夏至和冬至都是二十四節氣中的其中一個節氣。

解答在下一頁 ▶

03 解答

A1 正確

誰？　做什麼？

雖然江戶時代限制其他國家文化傳入，但在之後的明治時代，則大量地引進歐美文化。

誰？　　　　　　　怎麼樣？

統整一下題目訊息

江戶時代	明治時代
限制其他國家文化傳入 →	歐美文化大量引進

⭕ 禁止他國文化傳入是明治時代之前的事情。

> 禁止文化傳入的是江戶時代，所以正確

A2 正確

誰？　　　　　　做什麼？　　　　　是什麼？

二十四節氣將一年分為**24**等分，用來表示季節變化，例如夏至、冬至。

統整一下題目訊息

> 無論夏至或冬至，都是二十四節氣的其中1個

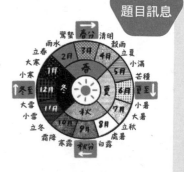

誰？　　　　　是什麼？

⭕ 夏至和冬至都是二十四節氣中的其中一個節氣。

Q1

日本會派遣青年海外協力隊,到亞洲、非洲等發展中國家進行農業等技術指導。

問 請依據上文,想一想以下敘述是否正確?

( ) 從發展中國家派遣到日本,進行農業等技術指導的是海外青年協力隊。

Q2

熄滅本生燈的火時,要按照點火的順序倒著操作,以空氣調節環、煤氣調節環、煤氣掣、總開關的順序關閉。

問 請依據上文,想一想以下敘述是否正確?

( ) 點燃本生燈的火時,首先要打開空氣調節環。

解答在下一頁 ▶ 15

A1 　不正確

日本會派遣青年海外協力隊，到亞洲、非洲等發展中國家進行農業等技術指導。

 統整一下題目訊息

日本
派遣　　　進行指導

✕ 從發展中國家派遣到日本，進行農業等技術指導的是海外青年協力隊。

進行技術指導的是「日本」，應為「從日本派遣到發展中國家」

A2 　不正確

熄滅本生燈的火時，要按照點火的順序倒著操作，以空氣調節環、煤氣調節環、煤氣掣、總開關的順序關閉。　**1**　　　**2**　　　**3**　　　**4**

 統整一下題目訊息

關	關	關	關
空氣調節環	煤氣調節環	煤氣掣	總開關
開	開	開	開

倒著操作

✕ 點燃本生燈的火時，首先要打開空氣調節環。

最先要打開的是總開關

Q 1

在河流的彎曲處，外側水域較深且流速快，內側因為有流水帶來的泥沙淤積，水淺且流速慢。

| 問 | 依據上文，下方哪個選項正確？ |

（　）①在河流的彎曲處，因為有流水帶來的泥沙淤積在內側，所以水淺且流速慢。
②在河流的彎曲處，因為有流水帶來的泥沙淤積在外側，所以水深且流速快。

Q 2

文章部分內容集結在一起稱為段落，段落裡包含幾個以句號（。）切分成的句子。

| 問 | 依據上文，下方哪個選項正確？ |

（　）①句號把段落分成了幾個句子。
②句號將句子的內容分成了幾個部分。

解答在下一頁 ▶

05 解答

A1 ①

統整一下
題目訊息

在河流的彎曲處，外側水域較深且流速快，內側因為有流水帶來的泥沙淤積，水淺且流速慢。

外
· 水深
· 流速快

內
· 因泥沙淤積，水淺
· 流速緩慢

⭕ ①在河流的彎曲處，因為有流水帶來的泥沙淤積在內側，所以水淺且流速慢。

❌ ②在河流的彎曲處，因為有流水帶來的泥沙淤積在外側，所以水深且流速快。

這是河流內側的特徵

A2 ①

文章部分內容集結在一起稱為段落，段落裡包含幾個以句號（。）切分成的句子。

統整一下
題目訊息

段落
------------------- 。 句子
------------------- 。 句子
------------------- 。 句子

⭕ ①句號把段落分成了幾個句子。

❌ ②句號將句子的內容分成了幾個部分。

應該是將「段落」分成幾個部分

Q1

法國的古柏坦提倡復興古代奧林匹克運動會，**1896**年時希臘的雅典舉行了第一屆現代奧林匹克運動會。

問 依據上文，下方哪個選項正確？

( ) ①古代奧林匹克運動會是在法國的古柏坦提倡下舉行的。

②現代奧林匹克運動會是在**1896**年時舉行第一屆比賽。

Q2

日本位於環繞著太平洋的環太平洋火山帶地區，約**3/4**的國土為山地。

問 依據上文，下方哪個選項正確？

( ) ①日本的國土約有**3/4**為山地，位於環太平洋火山帶。

②日本所在的環太平洋火山帶，約有**3/4**為山地。

解答在下一頁 ▶

A1 ②

法國的古柏坦提倡復興古代奧林匹克運動會，**1896年**時希臘的雅典舉行了第一屆現代奧林匹克運動會。

統整一下題目訊息

 由古柏坦提倡

 舉行第一屆現代奧林匹克運動會

✕ ①古代奧林匹克運動會是在法國的古柏坦提倡下舉行的。

正確的是「現代奧林匹克運動會」

○ ②現代奧林匹克運動會是在**1896年**時舉行第一屆比賽。

A2 ①

統整一下題目訊息

誰？　做什麼？

日本位於環繞著太平洋的環太平洋火山帶地區，約**3/4**的國土為山地。

誰？　怎麼了

屬於環太平洋火山帶

國土約有4分之3為山地

○ ①日本的國土約有**3/4**為山地，位於環太平洋火山帶。

✕ ②日本所在的環太平洋火山帶，約有**3/4**為山地。

「環太平洋火山帶＝約3/4為山地」是錯誤的

Q 電腦發達的現代社會稱做資訊社會。在資訊社會裡生活雖然變得便利，但也存在個人資料等被盜用於犯罪的問題。

問 依據上文，下方哪個選項正確？

( ) ①雖然隨著電腦發展，生活變得便利，但是個人資料被盜用成為犯罪問題，像這樣的資訊社會稱為現代社會。

②雖然隨著電腦發展，生活變得便利，但是個人資料被盜用成為犯罪問題，像這樣的現代社會稱為資訊社會。

解答在下一頁 ▶

A ②

誰？　　　是什麼？

電腦發達的現代社會稱做資訊社會。在資訊社會裡生活雖然變得便利，但也存在個人資料等被盜用於犯罪的問題。

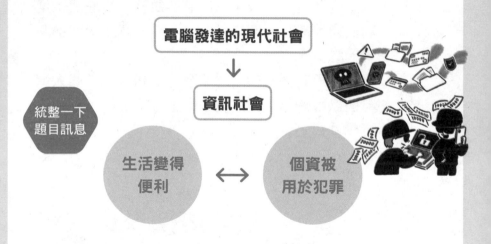

統整一下
題目訊息

電腦發達的現代社會
↓
資訊社會

生活變得
便利　　↔　　個資被
用於犯罪

✕ ①雖然隨著電腦發展，生活變得便利，但是個人資料被盜用成為犯罪問題，像這樣的資訊社會稱為現代社會。

「誰？」和「是什麼」顛倒了

○ ②雖然隨著電腦發展，生活變得便利，但是個人資料被盜用成為犯罪問題，像這樣的現代社會稱為資訊社會。

「誰？」和「是什麼」的關係與題目一致

解題時間 ▶ 🕐 1 分鐘

難易度
★★★★☆

Q 磁浮列車是依靠磁鐵的作用在空中懸浮，因此不僅能高速運行，同時也能減少振動和噪音。

問 依據上文，下方哪個選項正確？

( )　①磁浮列車之所以能減少振動和噪音，是因為它可以懸浮在空中。

②磁浮列車之所以能行駛得快，是因為它可以減少振動和噪音。

③當磁浮列車減速行駛，振動和噪音明顯增加。

解答在下一頁 ▶　23

A ①

磁浮列車是依靠磁鐵的作用在空中懸浮，因此不僅能<u>高速運行</u>，同時也能<u>減少振動和噪音</u>。

統整一下題目訊息

磁浮列車 ------- ①高速運行
　②減少振動和噪音
依靠磁鐵的作用
在空中懸浮

○ ①磁浮列車之所以能<u>減少振動和噪音，是因為它可以懸浮在空中</u>。

磁浮列車 ------- 可以抑制振動和噪音

在空中懸浮

和題目的敘述一致

✕ ②磁浮列車之所以能行駛得快，是因為它<u>可以減少振動和噪音</u>。

磁浮列車 ------- 行駛得快

可以減少振動和噪音

並非因「可以減少振動和噪音」而行駛得快

✕ ③當磁浮列車減速行駛，振動和噪音明顯增加。

題目未提到行駛速度和振動、噪音有關

Q 觀察身邊的植物，蒲公英常見於明亮、乾燥的地方，例如操場等環境；魚腥草則常見於陰暗、潮溼的地方，像是校舍後方等環境。

問 依據上文，下方哪個選項正確？

（　　）①魚腥草比蒲公英更喜好明亮環境。

②可以觀察到蒲公英較常生長在操場、魚腥草較常生長在校舍後方。

③無論是蒲公英或魚腥草，都無法生長在陰暗的環境裡。

A ②

觀察身邊的植物，<u>蒲公英常見於明亮、乾燥的地方</u>，例如操場等環境；<u>魚腥草則常見於陰暗、潮溼的地方</u>，像是校舍後方等環境。

統整一下題目訊息

蒲公英 --------- 常見於

明亮、乾燥＝操場等

魚腥草 --------- 常見於

陰暗、潮溼＝校舍後方等

❌ ①<u>魚腥草</u>比蒲公英更<u>喜好明亮環境</u>。

「喜歡陰暗的環境」才正確

⭕ ②可以觀察到蒲公英較常生長在操場、~~魚腥草較常生長在校舍後方~~。

兩者的生長環境都正確

❌ ③無論是蒲公英或魚腥草，都無法生長在陰暗的環境裡。

魚腥草常見於陰暗、潮溼的環境裡，因此這個敘述不正確

Q 關於玄關的門，日本因為有在玄關脫鞋的習慣，所以玄關的門大多是向外開，相反地，歐美國家的主流則是向內開門。

| 問 | 依據上文，下方哪個選項正確？ |

( ) ①日本玄關的門大多向外開，是因為他們有在玄關處脫鞋的習慣。

②在日本，因為房子的大門大多是向外開啟，因此才有在玄關處脫鞋的習慣。

③歐美國家的人不會在家裡脫鞋，是因為玄關的門是向外開啟。

解答在下一頁 ▸ 27

10 解答

A ①

....

關於玄關的門，日本因為有在玄關脫鞋的習慣，所以玄關的門大多是向外開，相反地，歐美國家的主流則是向內開門。

玄關大門的不同

日本

習慣在玄關脫鞋

玄關的門大多是向外開

統整一下題目訊息

歐美

玄關的門向內開啟是主流

○ ①日本玄關的門大多向外開，是因為他們有在玄關處脫鞋的習慣。

原因

結果　理由和結果之間的關係正確

✕ ②在日本，因為房子的大門大多是向外開啟，因此才有在玄關處脫鞋的習慣。

原因

結果　理由和結果之間的關係跟題目相反

✕ ③歐美國家的人不會在家裡脫鞋，是因為玄關的門是向外開啟。

題目沒有提到

歐美國家的門大多是向內開啟

Q 山上降下的雨會從高處往低處流，在山的表面流動的雨就形成河川，滲入地下的雨就變成地下水。

| 問 | 依據上文，下方哪個選項正確？ |

（　　）①因為有河川或地下水，所以山上會下雨。
②地下水會從低的地方往高的地方流。
③河川和地下水，原本都是山上降下的雨。

A ③

山上降下的雨會從高處往低處流，在山的表面流動的雨就形成河川，滲入地下的雨就變成地下水。

統整一下
題目訊息

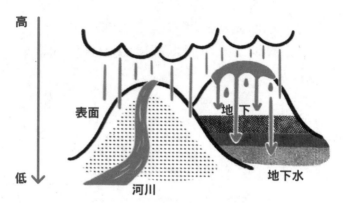

高

表面

地下

低

河川

地下水

✕ ①因為有河川或地下水，所以山上會下雨。

這兩者並沒有因果關係

✕ ②地下水會從低的地方往高的地方流。

正確的是「會從高的地方往低的地方流」

○ ③河川和地下水，原本都是山上降下的雨。

因為山上降下的雨會形成河川和地下水，因此敘述正確

Q 基督教的教派中，有在中世紀時分離出來的天主教和俄羅斯東正教，以及近代從天主教分離出的新教，大致可以分為這三個體系。

．．．．．．．．．．．．．．．．．．．．．．．．．．．．．．．．．．

問　依據上文，下方哪個選項正確？

（　　）①基督教的教派中，天主教和新教是從俄羅斯東正教分離出來的。

②從中世紀到近代分離為三個教派的天主教、俄羅斯東正教和新教，都是基督教的教派。

③基督教的教派中，天主教和俄羅斯東正教是在中世紀分道揚鑣，到了近代，天主教更進一步分成三個教派。

④基督教的教派在中世紀一分為三，而在近代，新教又從天主教分出。

解答在下一頁 ▶

A ②

基督教的教派中，有在中世紀時分離出來的**天主教**和
俄羅斯東正教，以及近代從天主教分離出的**新教**，大
致可以分為這三個體系。

基督教的教派

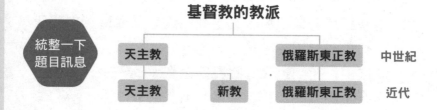

統整一下
題目訊息

| | 天主教 | | 俄羅斯東正教 | 中世紀 |
| 天主教 | 新教 | 俄羅斯東正教 | 近代 |

✕ ①基督教的教派中，天主教和新教是從俄羅斯東正教分離
出來的。

> 天主教和新教並非俄羅斯東正教的分支

○ ②從中世紀到近代分離為三個教派的天主教、俄羅斯東正
教和新教，都是基督教的教派。

✕ ③基督教的教派中，天主教和俄羅斯東正教是在中世紀分
道揚鑣，到了近代，天主教更進一步分成三個教派。

> 根據題目，天主教在近代分成兩個教派

✕ ④基督教的教派在中世紀一分為三，而在近代，新教又從
天主教分出。

> 根據題目，基督教在中世紀分離為
> 天主教和俄羅斯東正教兩個教派

2

「這個」「那個」，
搞錯了就0分！

判斷主詞題：指示詞及對應關係

確認指示詞「這個」「那個」
對應的事物是什麼！

POINT

通常，要指出特定的人事物時，我們會用：

「這」（這個、這裡……）
「那」（那個、那裡……）
「該」（該公司、該地區……）

等指示詞來表示。

指示詞對應的內容，往往在前面就已經提過，所以解題時首先要確認指示詞前面的文字。

另外，有關指示詞所指的事物的線索，經常出現在「這」、「那」、「該」等指示詞附近。

Q1

小明至今為止參加了**5**次數學考試，這些分數的平均是**82**分。

問 請依據上文，想一想以下敘述是否正確？

（ ） 「這些分數」是指至今為止的**5**次數學考試分數。

Q2

所謂的地產地消，是指比起遠方產地所生產的食物，使用當地所生產的那些更為理想。

問 請依據上文，想一想以下敘述是否正確？

（ ） 「那些」，是指遠方產地所生產的食物。

解答在下一頁 ▶ 3 5

01 解答

A 1 正確

小明[至今為止參加了5次數學考試]，[這些]分數的平均
是82分。

找一找和「分數」 提示
有關的線索吧！

統整一下
題目訊息

至今為止參加了5次數學考試
↑
[這些] 分數

◎ 「[這些]分數」是指[至今為止的5次數學考試]分數。

和題目的敘述一致

A 2 不正確

所謂的地產地消，是指比起遠方產地所生產的[食物]，
使用當地所生產的[那些]更為理想。

提示

找一找和「使用」有關的線索吧！

食物
↑
統整一下
題目訊息

使用當地所生產的 [那些] **更為理想。**

✗ 「[那些]」，是指遠方產地所生產的[食物]。

「那些」只代表「食物」而已

Q1

在洄游性魚類的洄游路徑上設網阻止魚通過,並將魚類追趕進其中的捕捉漁法,稱為定置網漁業。

....

| 問 | 請依據上文,想一想以下敘述是否正確? |

(　　) 題目裡的「其中」,是指洄游性魚類的洄游路徑。

Q2

交惡的人在危難時互相幫助稱為「吳越同舟」,這源自古代中國的吳國和越國。

....

| 問 | 請依據上文,想一想以下敘述是否正確? |

(　　) 吳國和越國的國名,是從「吳越同舟」這個成語來的。

解答在下一頁 ▶

02 解答

A1 不正確

在洄游性魚類的洄游路徑上設網阻止魚通過，並將魚類追趕進其中的捕捉漁法，稱為定置網漁業。

> **提示** 往前文找尋「將魚類追趕進什麼東西？」的線索

統整一下題目訊息

漁網
↑
將魚類追趕進 其中

✗ 題目裡的「其中」，是指洄游性魚類的洄游路徑。

> 「其中」指的是設置的「漁網」

A2 不正確

交惡的人在危難時互相幫助所稱為「吳越同舟」，這源自古代中國的吳國和越國。

> **提示** 往前文找尋「什麼東西源自古代中國的吳國和越國」

統整一下題目訊息

吳越同舟
↑
這 **源自古代中國的吳國和越國**

 吳國和越國的國名，是從「吳越同舟」這個成語來的。

> 因果關係顛倒了，應為國名衍生為成語

Q 1

第一次世界大戰始於**1914**年。那場戰役中，美國在
1917年參戰。

....

問　請依據上文，想一想以下敘述是否正確？

（　　）美國是在**1916**年加入第一次世界大戰。

Q 2

市場中需要的商品數量稱為需求量，生產的商品數量
稱為供給量，而價格則由它們之間的平衡點來決定。

....

問　請依據上文，想一想以下敘述是否正確？

（　　）需求量或供應量的其中一方決定了價格。

解答在下一頁 ▸　　39

03 解答

A1 不正確

第一次世界大戰始於1914年。那場戰役中，美國在
1917年參戰。

提示

往前找能對應到
「戰役」的內容吧！

統整一下
題目訊息

第一次世界大戰
↑
那場 戰役中，美國是在1917年參戰。

✕ 美國是在**1916年**加入第一次世界大戰。

依據上文，正確答案為1917年

A2 不正確

市場中需要的商品數量稱為需求量，生產的商品數量稱為
供給量，而價格則由它們之間的平衡點來決定。

提示 因為有提到「之間的」，
所以往前找找2個主詞！

統整一下
題目訊息

需求量 ・ 供給量
↑
價格則由 它們 之間的平衡點來決定。

✕ 需求量或供給量的其中一方決定了價格。

要由兩者求取平衡後才能定價

解題時間 ▸ ⏱ 1 分鐘

難易度
★ ★ ☆ ☆ ☆

Q 1

食品發酵現象自古以來就為人所知，但發現這是因為微生物作用所致的則是**19**世紀的科學家巴斯德。

問　請依據上文，想一想以下敘述是否正確？

（　）食品的發酵現象自古以來就存在，但發酵的原理直到**19**世紀才被闡明。

Q 2

夏季的季風現象會使日本濱太平洋一側降下雨水，並使濱日本海一側變得乾燥；而冬季時它則會使濱日本海側降下大量的雪，及讓濱太平洋側變乾燥。

問　依據上文，下列哪個選項正確？

（　）①日本濱太平洋一側降雨而濱日本海一側乾燥，是冬季季風所造成。

②日本濱日本海一側會降雪而濱太平洋一側乾燥，是冬季季風所造成。

解答在下一頁 ▸

04 解答

A1 正確

食品發酵現象自古以來就為人所知，但發現這是因為微生物作用所致的則是19世紀的科學家巴斯德。

> 提示 往前找找「因為微生物作用所致」的事物是什麼吧！

統整一下
題目訊息

食品發酵現象
↑
發現 **這** 是因為微生物作用所致的則是19世紀的科學家巴斯德

○ 食品的發酵現象自古以來就存在，但發酵的原理直到19世紀才被闡明。　上文中的「這」指的就是發酵現象，和題目一致

A2 ②

夏季的季風現象會使日本濱太平洋一側降下雨水，並使濱日本海一側變得乾燥；而在冬季時它則會使濱日本海側降下大量的雪，及讓濱太平洋側變乾燥。

> 提示 往前找與「日本海一側」和「太平洋一側」相關的敘述吧！

✗ ①日本濱太平洋一側降雨而濱日本海一側乾燥，是冬季季風所造成。　這是夏季季風的說明

○ ②日本濱日本海一側會降雪而濱太平洋一側乾燥，是冬季季風所造成。　和題目一致

Q1

動物園裡黑猩猩的柵欄是圓形，在那周圍是寬4公尺的道路。

....

問　依據上文，下列哪個選項正確？

（　）①4公尺寬的道路圍繞在動物園裡黑猩猩圓形柵欄周圍。
　　　②黑猩猩所在的動物園周圍，圍繞有4公尺寬的道路。

Q2

由美家的東邊400公尺遠處有郵局，從那裡往南600公尺距離處是和希家。

....

問　依據上文，下列哪個選項正確？

（　）①從郵局看，由美家在西邊400公尺遠處。
　　　②和希家往南走600公尺就會到郵局。

解答在下一頁 ▶

05 解答

A1 ①

動物園裡黑猩猩的柵欄是圓形，在那周圍是寬4公尺的道路。

找一找和「周圍」相關的 提示 事物吧！

4公尺

統整一下 題目訊息

⭕ ①4公尺寬的道路圍繞在動物園裡黑猩猩圓形柵欄周圍。

和題目一致

❌ ②黑猩猩所在的動物園周圍，圍繞有4公尺寬的道路。

「那」並不是指動物園

A2 ①

由美家的東邊400公尺遠處有郵局，從那裡往南600公尺距離處是和希家。

提示

從前面找找能作地標的建築物！

統整一下 題目訊息

由美家 →400m 郵局 ↓600m 和希家

⭕ ①從郵局看，由美家在西邊400公尺遠處。

關係位置正確

❌ ②和希家往南走600公尺就會到郵局。

「往北」才正確

44

Q1

義大利人賈法尼發現在死青蛙的腿上通電可以使其動起來，這個事件啟發了同為義大利人的伏打發明出電池。

- -

問　依據上文，下列哪個選項正確？

（　　）①電池的發明契機是源自賈法尼對青蛙的發現。
②賈法尼受到死青蛙腿通電動起來的啟發而發明電池。

Q2

學校的圖書館中有**1200**冊科學書籍，這些書占圖書館總藏書的**25%**。

- -

問　依據上文，下列哪個選項正確？

（　　）①學校的圖書館裡科學書籍的數量，占**1200**冊的**25%**。
②學校的圖書館裡總藏書的**25%**是科學書籍。

解答在下一頁 ▸

A1 ①

義大利人賈法尼發現在死青蛙的腿上通電可以使其動起來，這個事件啟發了同為義大利人的伏打發明出電池。

提示 找找前文中呼應的事件吧！

統整一下題目訊息

賈法尼 / 發現 \ 伏打 / 發明 \

〇 ①電池的發明契機是源自賈法尼對青蛙的發現。

此處總結了「這個」所指的內容

✕ ②賈法尼受到死青蛙腿通電動起來的啟發而發明電池。

發明電池的是伏打

A2 ②

學校的圖書館中有1200冊科學書籍，這些書占圖書館總藏書的25%。

提示 尋找前文中已知的書本冊數

統整一下題目訊息

25% — 科學書籍有 **1200冊**

✕ ①學校的圖書館裡科學書籍的數量，占**1200冊**的25%。

是「總藏書」的25%才對

〇 ②學校的圖書館裡總藏書的25%是科學書籍。

與題目一致

Q 澳洲的國旗中包含英國國旗，那是因為以前澳洲曾是英國的殖民地。

問　依據上文，下列哪個選項正確？

（　）①澳洲以前曾是英國的殖民地，因此採用的是英國國旗。

②澳洲以前曾是英國的殖民地，因此國旗中包含了英國國旗。

③英國的國旗包含了澳洲國旗，是因為澳洲曾經是殖民地的關係。

④英國是澳洲的殖民地，這和澳洲現在的國旗設計有關。

解答在下一頁 ▸

A ②

澳洲的國旗中包含英國國旗，那是因為以前澳洲曾是英國的殖民地。

提示 「那」的後面寫出了原因，所以往前找找原因所對應的結果吧！

統整一下題目訊息

澳洲的國旗中包含英國國旗

英國國旗

澳洲國旗

那 是因為以前澳洲曾是英國的殖民地。

✗ ①澳洲以前曾是英國的殖民地，因此採用的是英國國旗。

> 是將英國國旗「包含在裡面」

○ ②澳洲以前曾是英國的殖民地，因此國旗中包含了英國國旗。

> 和題目一致

✗ ③英國的國旗包含了澳洲國旗，是因為澳洲曾經是殖民地的關係。

> 「英國國旗」和「澳洲國旗」的關係顛倒了

✗ ④英國是澳洲的殖民地，這和澳洲現在的國旗設計有關。

> 「英國」和「澳洲」的關係顛倒了

3

看來相似的兩句話，
意思真的相同嗎？

因果關係題：讀懂因果關係，判斷同義文

看穿「原因和結果」間的關係！

! POINT

即使是用差不多的詞語構成的文句，只要詞語的順序不同，文句的意思就可能不一樣。

想要準確讀懂文章的含意，正確掌握：

「原因」和「結果」

之間的關係是非常重要的。

請特別注意導致因果關係的詞語。

Q1

笠雲是由潮溼的空氣沿山脈爬升後所形成，因此被認為是下雨的前兆。

> **問** 請依據上文，思考下文的含意是否一樣。

（　）笠雲被認為是下雨的前兆，因為雲會沿山脈爬升後下雨。

Q2

因為平假名和片假名的出現，日文的發音開始得以用文字直接表現。

> **問** 請依據上文，思考下文的含意是否一樣。

（　）如果平假名和片假名沒有出現，就無法用文字直接表現日語的發音。

解答在下一頁 ▶

解答

A1　不一樣

原因

笠雲是由潮溼的空氣沿山脈爬升後所形成，因此被認為是下雨的前兆。

結果

統整一下題目訊息

原因　笠雲是 --- 潮溼的空氣 --- 所形成的

↓ 沿山脈爬升

結果　被認為是雨的前兆

✕ 笠雲被認為是下雨的前兆，因為雲會沿山脈爬升後下雨。

題目中提到的是「潮濕空氣」爬升，而不是雲　　和原句的原因不一樣

A2　一樣

原因

因為平假名和片假名的出現，日文的發音開始得以用文字直接表現。

結果

統整一下題目訊息

原因　平假名和片假名出現　⟨⋯⟩　平假名和片假名**沒有**出現

結果　日語的發音開始得以用文字直接表現　⟨⋯⟩　日語的發音就**無法**用文字直接表現

◯ 如果平假名和片假名沒有出現，就無法用文字直接表現日語的發音。

因為句中出現「沒有」和「無法」，可知因果關係與題目含意相同

Q1

從河川等地引入的水,在送往淨水場淨化後,會從配水池透過配水管分送給家庭或是工廠使用。

問 請依據上文,思考下文的含意是否一樣。

( ) 各家庭或工廠使用的水,是從河川等地引入淨化水,再經過淨水場後分送過來。

Q2

觀察太陽黑子數天,可以從太陽黑子的形狀變化得知太陽是球形的,也可以從太陽黑子的移動路徑得知太陽正在自轉。

問 請依據上文,思考下文的含意是否一樣。

( ) 太陽是球形和正在自轉這兩點,可以藉由觀察數日太陽黑子的形狀與移動來得知。

解答在下一頁 ►

A1　不一樣

從河川等地引入的水，在送往淨水場淨化後，會從配水池透過配水管分送給家庭或是工廠使用。

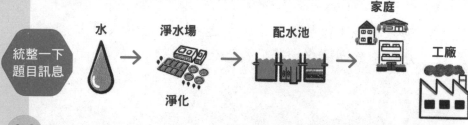

統整一下
題目訊息

水　　淨水場　　配水池　　家庭

淨化　　　　　　　　　工廠

✗ 各家庭或工廠使用的水，是從河川等地引入淨化水，再經過淨水場後分送過來。

> 水是由淨水場淨化的，此敘述和題目不一致

A2　一樣

結果①　　　　　　　　　　原因①

觀察太陽黑子數天，可以從太陽黑子的形狀變化 得知
太陽是球形的，也可以從太陽黑子的移動路徑 得知 太
陽正在自轉。

原因②　　　　　　　結果②

統整一下
題目訊息

原因　①太陽黑子的形狀變化　②太陽黑子的移動路徑
　　　　　　↓　　　　　　　　　　↓
結果　①太陽是球形的　　　　②太陽正在自轉

○ 太陽是球形和正在自轉這兩點，可以從觀察數日太陽黑子的形狀與移動來得知。

> 此處的結果①②與原因①②，和題目一致

Q1

在資訊時代，能從眾多的資訊中篩選出自己所需訊息的能力，這樣的媒體素養是必要的。

問　請依據上文，思考下文的含意是否一樣。

（　）媒體素養是篩選自己所需訊息的能力，這在資訊時代中是必要的。

Q2

隨著光纖等資訊通訊技術的普及，近年來不受時間或地點限制的遠距工作正在增加。

問　請依據上文，從下方選出意思相同的選項。

（　）①不受時間和地點限制的遠端工作逐漸增加，讓光纖等資訊通訊技術變得普及。
②近年來增加的遠端工作，運用了資訊通訊技術，不受時間或地點的限制。

解答在下一頁 ▶

03　解答

A1　一樣

在資訊時代，能從眾多的資訊中篩選出自己所需訊息的能力，這樣的媒體素養是必要的。

統整一下
題目訊息

資訊時代	從眾多的資訊中篩選出自己所需訊息的能力 ＝ 媒體素養 必要

○ 媒體素養是篩選自己所需訊息的能力，這在資訊時代中是必要的。

對媒體素養的說明是正確的

A2　②

原因

隨著光纖等資訊通訊技術的普及，近年來不受時間或地點限制的遠距工作正在增加。

結果

✕ ①不受時間和地點限制的遠端工作逐漸增加，讓光纖等資訊通訊技術變得普及。

因果關係和題目相反

○ ②近年來增加的遠端工作，運用了資訊通訊技術工作，不受時間或地點的限制。

因果關係和題目一致

Q1

法國國旗是由藍、白、紅組成的三色旗，義大利、比利時的國旗以此為範本，用不同的顏色組成各自的三色旗。

| 問 | 請依據上文，從下方選出意思相同的選項。 |

(　　) ①法國、義大利、比利時的國旗都是三色旗，分別用不同顏色組合而成。
②藍、白、紅三種顏色組合而成的國旗稱為三色旗，法國、義大利和比利時國旗都是三色旗。

Q2

冷流和暖流的交匯區，因為聚集了生活在溫暖海洋和寒冷海洋中的魚種，而形成良好的漁場。

| 問 | 請依據上文，從下方選出意思相同的選項。 |

(　　) ①冷流和暖流的交匯區是很好的漁場，因為此處聚集了生活在溫暖海洋和寒冷海洋中的魚種。
②因為冷流和暖流的交匯區是很好的漁場，所以聚集了生活在溫暖海洋和寒冷海洋中的魚種。

解答在下一頁 ▸ 57

04 解答

A1 ①

法國國旗 是由藍、白、紅組成的三色旗，義大利、比利時 **原因**
的國旗以為範本，用不同的顏色組成各自的三色旗。 **結果**

統整一下題目訊息

範本

藍 白 紅

用不同顏色組合成國旗

法國國旗　　　義大利　　　比利時

○ ①法國、義大利、比利時的國旗都是三色旗，分別用不同顏色組合而成。

因果關係和題目一致

✕ ②藍、白、紅三種顏色組合而成的國旗稱為三色旗，法國、義大利和比利時國旗都是三色旗。

義大利和比利時國旗並非「藍、白、紅」三種顏色組成

A2 ①

冷流和暖流的交匯區，因為聚集了生活在溫暖海洋和 **原因**
寒冷海洋中的魚種，而形成良好的漁場。

結果

○ ①冷流和暖流的交匯區是很好的漁場，因為此處聚集了生活在溫暖海洋和寒冷海洋中的魚種。

因果關係和題目一致

✕ ②因為冷流和暖流的交匯區是很好的漁場，所以聚集了生活在溫暖海洋和寒冷海洋中的魚種。

因果關係和題目相反

Q 連結歐亞大陸東西兩側的貿易路線稱為絲路,羅馬帝國的文物便是從這條路線經由印度、中國,最後傳到日本。

問 請依據上文,從下方選出意思相同的選項。

( ) ①日本將羅馬帝國文物透過連接歐亞大陸東西兩側的絲路,傳到印度和中國。

②連接中國和日本的東西貿易路線稱為絲路,羅馬帝國的文物由此傳到歐亞大陸的日本。

③傳至日本的羅馬帝國文物,是從連結歐亞大陸東西側的貿易路線「絲路」傳過來的。

解答

A ③

連結歐亞大陸東西兩側的貿易路線稱為絲路，羅馬帝國的文物便是從這條路線經由印度、中國，最後傳到日本。

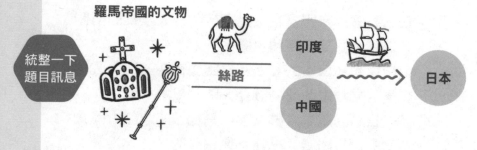

羅馬帝國的文物

統整一下
題目訊息

絲路

印度

中國

日本

✕ ①日本將羅馬帝國文物透過連接歐亞大陸東西兩側的絲路，傳到印度和中國。

　　從日本傳到印度、中國的敘述錯誤

　　　　絲路是連接歐亞大陸東西側的貿易路線

✕ ②連接中國和日本的東西貿易路線稱為絲路，羅馬帝國的文物由此傳到歐亞大陸的日本。

　　日本並不在歐亞大陸上

◯ ③傳至日本的羅馬帝國文物，是從連結歐亞大陸東西側的貿易路線「絲路」傳過來的。

　　「羅馬帝國→絲路→日本」，順序正確

Q 5000日圓紙鈔上的肖像畫人物樋口一葉，為了生計而開始寫小說，在24歲逝世之前的短暫歲月中留下傑出的作品。

············

| 問 | 請依據上文，從下方選出意思相同的選項。 |

( )
①曾被短暫選為5000日圓紙鈔上肖像畫人物的樋口一葉，在24歲逝世之前留下傑出作品。

②為了生計而開始寫小說的樋口一葉，因為在24歲逝世前的短暫歲月中留下優秀作品，而被選為5000日圓紙鈔上的肖像畫人物。

③樋口一葉因為被選為5000日圓紙鈔上的肖像畫人物而開始寫小說，在短暫歲月中留下傑出作品，於24歲逝世。

A　②

5000日圓紙鈔上的肖像畫人物樋口一葉，為了生計而開始寫小說，在24歲逝世之前的短暫歲月中留下傑出的作品。

樋口一葉

統整一下題目訊息

為了生計開始寫小說

↓

在24歲逝世之前的短暫歲月中留下了傑出的作品

✕ ①曾被短暫選為5000日圓紙鈔上肖像畫人物的樋口一葉，在24歲逝世之前留下傑出作品。

「短暫」指的是樋口一葉的人生

◯ ②為了生計而開始寫小說的樋口一葉，因為在24歲逝世前的短暫歲月中留下優秀作品，而被選為5000日圓紙鈔上的肖像畫人物。

原因和結果的關係與題目一致

✕ ③樋口一葉因為被選為5000日圓紙鈔上的肖像畫人物而開始寫小說，在短暫歲月中留下傑出作品，於24歲逝世。

並不是他開始寫小說的原因

Q 塑膠的種類中，聚對苯二甲酸乙二醇酯既透明又堅韌，亦對藥品有耐受性。此外，由聚對苯二甲酸乙二醇酯製成的瓶子稱為**PET**瓶。

....

問 請依據上文，從下方選出意思相同的選項。

( ) ①塑膠或聚對苯二甲酸乙二醇酯製成的瓶子，稱為**PET**瓶。

②既透明又堅韌的塑膠和對藥品有耐受性的聚對苯二甲酸乙二醇酯，是**PET**瓶的材料。

③聚對苯二甲酸乙二醇酯中，既透明又堅韌、對藥品有耐受性的稱為**PET**瓶。

④**PET**瓶是由聚對苯二甲酸乙二醇酯製成的瓶子，是塑膠製品的種類之一。

解答在下一頁 ▸ 63

07 解答

A ④

塑膠的種類中，聚對苯二甲酸乙二醇酯既透明又堅韌，亦對藥品有耐受性。此外，由聚對苯二甲酸乙二醇酯製成的瓶子稱為**PET瓶**。

統整一下
題目訊息

塑膠

既透明
又堅固

聚對苯二甲酸
乙二醇酯

對藥品有
耐受性

PET瓶

塑膠製的瓶子並非全部都是**PET**瓶

✗ ①塑膠或聚對苯二甲酸乙二醇酯製成的瓶子，稱為**PET**瓶。

「既透明又堅韌」是聚對苯二甲酸乙二醇酯的特徵，不是塑膠的

✗ ②既透明又堅韌的塑膠和對藥品有耐受性的聚對苯二甲酸乙二醇酯，是**PET**瓶的材料。

此處錯把聚對苯二甲酸乙二醇酯進一步細分

✗ ③聚對苯二甲酸乙二醇酯中，既透明又堅韌，亦對藥品有耐受性的稱為**PET**瓶。

○ ④**PET**瓶是由聚對苯二甲酸乙二醇酯製成的瓶子，是塑膠製品的種類之一。

內容和題目一致

選項中的舉例，
是否符合題目？

歸納題：定義和具體例子

把題目想像成一個「大容器」，
想一想選項中哪些舉例可以歸納到容器裡？

!

POINT

定義和實際例子間的關係，就像是：

大容器
和
可以放進去的東西

例如，將貓當作「大容器」，那麼美國短毛貓、波斯貓就是「可以放進去的東西」。
遇到歸納題時，要考量的就是實際例子是否可以歸納進「大容器」中。

Q1 陶器可用來烹飪或儲存食物，主要由年長女性製作。

....

| 問 | 請依據上文，想一想以下敘述是否正確？ |

（　　） 繩文時代所使用的陶器，規定由男女共同製作。

Q2 在水中，所有東西都承受向上的力量，稱為浮力。

....

| 問 | 請依據上文，想一想以下敘述是否正確？ |

（　　） 當鐵沉入水池中時，並沒有受到浮力作用。

解答在下一頁 ▸

01 解答

A1 不正確

陶器可用來烹飪或儲存食物，主要由年長女性製作。

統整一下
題目訊息

陶器

製作
←

年長的女性

「陶器」的具體例子

✕ 繩文時代所使用的陶器，規定由男女共同製作。

不符合「主要由年長女性製作」

A2 不正確

在水中，所有東西都承受向上的力量，稱為浮力。

浮力
↑

統整一下
題目訊息

「所有東西」
的具體例子

「在水中」
的具體敘述

✕ 當鐵 沉入水池中時，並沒有受到浮力作用。

正確為「有受到浮力作用」

Q1

製造和自己相同種類的新個體稱為生殖，其中因受精而增加個體稱為有性生殖，不受精的情況下增加個體則稱為無性生殖。

問 請依據上文，想一想以下敘述是否正確？

（　）將馬鈴薯的塊莖種在田裡以增加新個體的方式稱為無性生殖。

Q2

中文的外來語有許多詞彙會直接將原文的發音轉換成中文，稱為「音譯」。

問 請依據上文，想一想以下敘述是否正確？

（　）「摩托車」（motorcycle）這個詞因為和原文的發音不完全相同，所以不算是外來語。

解答在下一頁 ▶

02 解答

A1 正確

製造和自己相同種類的新個體稱為生殖，其中因受精而增加個體稱為有性生殖，不受精的情況下增加個體則稱為無性生殖。

不受精卻增加個體的具體敘述

○ 將馬鈴薯的塊莖種在田裡以增加新個體的方式稱為無性生殖。

和題目一致

A2 不正確

中文的外來語有許多詞彙會直接將原文的發音轉換成中文，稱為「音譯」。

統整一下題目訊息

外來語

許多詞彙採用音譯

也有「音譯＋表義文字」（摩托motor＋車cycle）的情況

✕ 「摩托車」（motorcycle）這個詞因為和原文的發音不完全相同，所以不算是外來語。 外來語中，也有不全是音譯的詞彙

Q1 植物會運用風力來傳播花粉以進行授粉，此時，雌花越接近雄花，授粉機率就越高。

問 請依據上文，想一想以下敘述是否正確？

（　） 利用風力傳播花粉的玉米，因為雌花和雄花分別長在不同地方，所以無法順利授粉。

Q2 3萬左右的數目可以稱為「約3萬」，像這種大約的數目就叫做「概數」。

問 請依據上文，想一想以下敘述是否正確？

（　） 「這個村莊的人口數為5862人」，前文中的5862是「概數」。

03 解答

A1 不正確

植物會運用風力來傳播花粉以進行授粉,此時,雌花越接近雄花,授粉機率就越高。

雄花　　　雌花

・近 ➡ 授粉機率上升
・遠 ➡ 授粉機率下降

統整一下題目訊息

具體例子

✗ 利用風力傳播花粉的[玉米],因為雌花和雄花分別長在不同地方,所以[無法]順利授粉。

> 「無法」授粉是錯的,只是授粉機率降低

A2 不正確

具體例子　　　**具體例子**

[3萬左右]的數目可以稱為「[約3萬]」,像這種大約的數目就叫做「概數」。

──── 大約的數目=「概數」 ────

| 3萬左右 | 約3萬 |

統整一下題目訊息

具體例子

✗ 「這個村莊的人口數為5862人」,前文中的[5862]是「概數」。

> 此為詳細數字,並不是大約的數字

72

Q1

在海洋或河川等水邊填埋砂土、廢棄物，建造出人造陸地的過程，就稱為填海造陸。

問 請依據上文，想一想以下敘述是否為填海造陸的例子？

( ) 東京灣的多處碼頭建造成方方正正的樣子，是用來處理廢棄物的人造陸地。

Q2

由可再生生物資源作為原料的燃料稱為生質燃料，因為被視為石油燃料的替代能源而備受關注。

問 請依據上文，想一想以下敘述是否正確？

( ) 燃料中，用甘蔗、玉米製成的乙醇，就是生質燃料的一種。

解答在下一頁 ▶

A1　正確

在海洋或河川等水邊填埋砂土、廢棄物，建造出人造陸地的過程，就稱為填海造陸。

統整一下題目訊息

①填埋砂土、廢棄物
②建造出人造陸地

「水邊」的例子　　　人造陸地的具體敘述

○ 東京灣的多處碼頭建造成方方正正的樣子，是用來處理廢棄物的人造陸地。

和題目敘述一致

A2　正確

由可再生生物資源作為原料的燃料稱為生質燃料，因為被視為石油燃料的替代能源而備受關注。

統整一下題目訊息

生質物

 →

生質燃料

可再生生物資源的例子　　　「生質燃料」的具體例子

○ 燃料中，用甘蔗、玉米製成的乙醇，就是生質燃料的一種。

和題目一致

Q1

在日本，於都市出生長大後移居到鄉間工作，稱為**I-turn**；在鄉間出生，到都市工作後又回到鄉村工作，稱為**U-turn**。

問　請根據上文，從下方選出敘述正確的選項。

(　　) ①東京都出生的人移居到偏遠離島工作，就稱為**I-turn**。

②無論**I-turn**或**U-turn**，最後都在都市工作。

Q2

能夠整除某整數的整數，稱為某整數的因數，通常包含1和某整數本身。

問　請根據上文，從下方選出敘述正確的選項。

(　　) ①30的因數有2、3、5、6、10、15，共6個。

②20的因數有1、2、4、5、10、20，共6個。

解答在下一頁 ▸

05

A1 ①

在日本，於都市出生長大後移居到鄉間工作，稱為
I-turn；在鄉間出生，到都市工作後又回到鄉村工作，稱為**U-turn**。

都市的具體例子　　　鄉間的具體例子

○ ①東京都出生的人移居到偏遠離島工作，就稱為**I-turn**。

和題目一致

✕ ②無論**I-turn**或**U-turn**，最後都在都市工作。

正確為「在鄉間工作」

A2 ②

能夠整除某整數的整數，稱為某整數的因數，通常包含1和某整數本身。

統整一下
題目訊息

因數
- 能夠整除某整數的整數
- 包括1和某整數本身

✕ ①30的因數有**2、3、5、6、10、15**，共6個。

少了1和某整數本身（30）

○ ②20的因數有**1、2、4、5、10、20**，共6個。

1和「某整數」本身　　和題目一致

Q 一年內在同一塊土地上種兩回相同的農作物，稱為二期作；一年內在同一塊土地上種兩回不同的作物，則稱為輪作。

問 請根據上文，從下方選出敘述正確的選項。

（ 　 ）①春天時在一塊田地上同時種不同品種的馬鈴薯，稱為輪作。

②在同一年、同一塊土地上，夏天種稻、冬天種麥，稱為二期作。

③一年中分別在春、秋兩季，於同一塊田地種植馬鈴薯，稱為二期作。

④在同一塊田地上，今年春天種植馬鈴薯，隔年春天改種菠菜，稱為二期作。

A ③

一年內在同一塊土地上種兩回相同的農作物，稱為二期作；一年內在同一塊土地上種兩回不同的作物，則稱為輪作。

二期作　　　　　　　輪作

統整一下
題目訊息

 相同作物 　　 不同作物

✕ ①春天時在一塊田地上同時種不同品種的馬鈴薯，稱為輪作。

> 無論二期作或是輪作，都是在一年內的不同時間種植兩回農作物

> 不同農作物的具體敘述

✕ ②在同一年、同一塊土地上，夏天種稻，冬天種麥，稱為二期作。

> 稱為輪作

> 「相同的農作物」的具體敘述

○ ③一年中分別在春、秋兩季，於同一塊田地種植馬鈴薯，稱為二期作。

> 和題目一致

> 不符合「一年兩回」的定義

✕ ④在同一塊田地上，今年春天種植馬鈴薯，隔年春天改種菠菜，稱為二期作。

> 種的是不同農作物，應為「輪作」

Q　循環使用是指不將使用過後淘汰的物品當作垃圾丟棄，而是以原本的形式重複利用。

問　請依據上文，選出下方符合「循環使用」的選項。

（　）①將舊報紙和雜誌回收，作為製作衛生紙的原料。
　　　②自治團體收集民眾家中不再使用的餐具，免費提
　　　　供給有需要的人。
　　　③購物時不索取塑膠袋，而是使用自備的購物袋。
　　　④只購買吃得完的食材，避免浪費食物。

A ②

循環使用是指不將使用過後淘汰的物品當作垃圾丟棄，而是以原本的形式重複利用。

統整一下
題目訊息

循環使用
Reuse

使用過後
淘汰的物品 → 以原本的形式重複利用

✕ ①將舊報紙和雜誌回收，作為製作衛生紙的原料。

不符合「以原本的形式」重複利用

「使用過後淘汰的物品」的具體敘述

〇 ②自治團體收集民眾家中不再使用的餐具，免費提供給有需要的人。

符合「以原本的形式重複使用」

✕ ③購物時不索取塑膠袋，而是使用自備的購物袋。

不符合「使用過後淘汰的物品」

✕ ④只購買吃得完的食材，避免浪費食物。

不符合「使用過後淘汰的物品」

5

讀出題目沒寫的訊息，推理解題線索！

邏輯推論題：推測及驗證

從各個角度驗證你的推論！

!

POINT

想推測出文章中沒寫出的資訊時，
可以試著：

- ·思考「原因」和「結果」之間的關係
- ·反向思考
- ·找出「大容器」與「能放進去的東西」之間的關係

這些方法都能幫助我們解題。
試試從各個角度思考答案的對錯吧！

Q1

在日本，除了北海道以外，其他地區約從**5**月下旬到**7**月中旬之間降下連綿不絕的梅雨。

....

問　請依據上文，想一想以下敘述是否正確？

（　　）初夏時，北海道的降雨量比日本其他地區少得多。

Q2

折線圖中，如果線段的傾斜程度越陡，表示數值變化越大。

....

問　請依據上文，想一想以下敘述是否正確？

（　　）如果折線圖的線段傾斜程度越緩，表示數值變化越小。

解答在下一頁 ▶

A 1　正確

在日本，除了北海道以外，其他地區約從**5**月下旬到
7月中旬之間降下連綿不絕的梅雨。

北海道

統整一下
題目訊息

約從**5**月下旬到
7月中旬之間持續降雨

5月下旬到7月中旬

初夏時，北海道的降雨量比日本其他地區少得多。

可以看出北海道是例外，符合題目敘述

A 2　正確

折線圖中，如果線段的傾斜程度越陡，表示數值變化
越大。

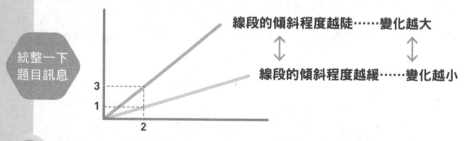

線段的傾斜程度越陡……變化越大

統整一下
題目訊息

線段的傾斜程度越緩……變化越小

3

1

2

如果折線圖的線段傾斜程度越緩，表示數值變化越小。

敘述跟題目正好相反，可推測結果也是相反

Q1
在2022年4月時,歐洲聯盟(**EU**,簡稱歐盟)的成員國有27國,其中大部分國家採用歐盟的通用貨幣「歐元」。

⋯⋯⋯⋯⋯⋯⋯⋯⋯⋯⋯⋯⋯⋯⋯⋯⋯⋯⋯⋯⋯⋯⋯⋯⋯⋯⋯⋯⋯⋯

問　請依據上文,想一想以下敘述是否正確?

(　　) 歐盟成員國中也有國家不採用歐元,而是使用自己的貨幣。

Q2
像煤炭、木材等笨重巨大的物品,適合用運費低廉且運送量大的船隻來運輸。

⋯⋯⋯⋯⋯⋯⋯⋯⋯⋯⋯⋯⋯⋯⋯⋯⋯⋯⋯⋯⋯⋯⋯⋯⋯⋯⋯⋯⋯⋯

問　請依據上文,想一想以下敘述是否正確?

(　　) 如果要運送煤炭,很少利用飛機。

解答在下一頁 ▶

02 解答

A1 正確

在**2022年4月**時，歐洲聯盟（**EU**，簡稱歐盟）的成員國有**27國**，其中大部分國家採用歐盟的通用貨幣「歐元」。

統整一下題目訊息

歐盟成員國

大部分採用歐元的國家

沒有採用歐元的國家

○ 歐盟成員國中也有國家不採用歐元，而是使用自己的貨幣。

> 從題目可知也有不採用歐元的例外國家，故正確

A2 正確

題目訊息

笨重巨大的物品的具體例子

像煤炭、木材等笨重巨大的物品，適合用運費低廉且運送量大的船隻來運輸。

統整一下題目訊息

貨物

笨重巨大的物品 → **適合用船隻運輸**

○ 如果要運送煤炭，很少利用飛機。

> 煤炭是笨重的物品，所以大多會利用船運，因此可以推論出很少使用飛機運送煤炭

Q1

在幕府的鼓勵下，江戶時期的學術發展大有進步，特別是重視身分秩序的朱子學派更受到幕府的保護。

問　請依據上文，想一想以下敘述是否正確？

（　　）在江戶時代，朱子學以外的學術知識也很發達。

Q2

氮氣是一種難溶於水的氣體，無色無味，約占空氣的8成。氮氣不具可燃性，也不容易和其他物質結合。

問　請依據上文，選出敘述正確的選項。

（　　）①因為氮氣很難與其他物質反應，可以用來填充袋子或瓶子以保存食物。

　　　　②在充滿氮氣的集氣瓶內放入點燃的線香，線香的火會變得更旺盛。

解答在下一頁 ▶

03 解答

A1 正確

在幕府的鼓勵下，江戶時期的學術發展大有進步，特別是重視身分秩序的朱子學派更受到幕府的保護。

統整一下題目訊息

江戶時代的學問 ── 大有進步

朱子學 ── 受到幕府的保護

○ 在江戶時代，朱子學以外的學術知識也很發達。

朱子學以外的知識也在「大容器」裡，符合題目敘述

A2 ①

氮氣是一種難溶於水的氣體，無色無味，約占空氣的8成。氮氣不具可燃性，也不容易和其他物質結合。

統整一下題目訊息

難溶於水		不具可燃性
	約占空氣的8成	
無色無味		不容易和其他物質結合

○ ①因為氮氣很難與其他物質反應，可以用來填充袋子或瓶子以保存食物。

意味著很容易保持原樣

✕ ②在充滿氮氣的集氣瓶內放入點燃的線香，線香的火會變得更旺盛。

不符合「不具可燃性」

1　幕府是日本歷史中的封建政權體制，其歷史長達數世紀，其中包含了江戶時期。在當時，幕府尊崇以中國宋朝儒學家朱熹思想所發展的學派，就稱為朱子學。朱子學強調倫理道德和社會秩序，符合幕府希望維持穩定的治理理念，給予朱子學派相對的保護和支持，促進了朱子學在學術界的影響力和發展。

Q 1 美索不達米亞文明孕育於底格里斯河和幼發拉底河流域，埃及古文明發源於尼羅河流域，古印度文明起源自印度河流域，中華文明則發祥於黃河流域。

問 請依據上文，選出敘述正確的選項。

( ) ①人類在文明發源地裡開拓出大河。
②人類利用大江的同時，也推動文明的發展。

Q 2 早期的電腦又大又笨重，但現在則有輕巧、能夠手持的智慧型手機等裝置。

問 請依據上文，選出敘述正確的選項。

( ) ①電腦所使用的零件隨著時代演進變得越來越小。
②相較於早期的電腦，現代的手機製造程序變得更為複雜。

解答在下一頁 ▸

04 解答

A1 ②

美索不達米亞文明孕育於底格里斯河和幼發拉底河流域，埃及古文明發源於尼羅河流域，古印度文明起源自印度河流域，中華文明則發祥於黃河流域。

統整一下題目訊息

底格里斯河和幼發拉底河流域 → 美索不達米亞文明

尼羅河流域 → 埃及古文明

印度河流域 → 古印度文明

黃河流域 → 中華文明

因為文明發展起源於河川，由此可知是先有大河才有文明

✕ ①人類在文明發源地裡開拓出大河。

⭕ ②人類利用大江的同時，也推動文明的發展。

文明位於河川流域，因此可以推測「文明的發展與利用河川有關」

A2 ①

早期的電腦又大又笨重，但現在則有輕巧、能夠手持的智慧型手機等裝置。

早期 ────────→ 現代

又大又笨重　　　　變得非常輕巧

統整一下題目訊息

⭕ ①電腦所使用的零件隨著時代演進變得越來越小。

依據題目，可以推測電腦的零件越來越小

✕ ②相較於早期的電腦，現代的手機製造程序變得更為複雜。

題目並沒有提及製造程序

Q 熱能會從溫度高的物質傳向溫度低的物質，一旦熱能傳遞出去，物質的溫度就會下降；相反地，得到熱能的物質，溫度則會上升。

問 請依據上文，選出敘述正確的選項。

(   ) ①當熱能從溫度低的物質傳向溫度高的物質，得到
         熱能的物質溫度會下降。
     ②相同溫度的物質之間也有熱能傳遞，最後這兩個
         物質的熱能都會減少。
     ③冰塊融化和熱能的傳遞沒有關係。
     ④熱能的傳遞會讓兩個物質的溫度變得一樣，此時
         熱能就不再傳遞。

A ④

熱能會從溫度高的物質傳向溫度低的物質，一旦熱能傳遞出去，物質的溫度就會下降；相反地，得到熱能的物質，溫度則會上升。

統整一下
題目訊息

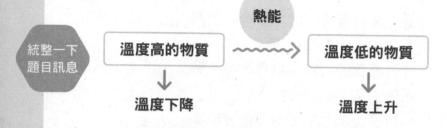

熱能

溫度高的物質 〜〜〜〉 溫度低的物質

↓ ↓

溫度下降 溫度上升

> 因為熱能是從溫度高→低流動，所以此處不正確

✕ ①當熱能從溫度低的物質傳向溫度高的物質，得到熱能的物質溫度會下降。

> 正確為「會上升」

✕ ②相同溫度的物質之間也有熱能傳遞，最後這兩個物質的熱能都會減少。　相同溫度的物質之間不會有熱能傳遞

✕ ③冰塊融化和熱能的傳遞沒有關係。

> 冰塊融化代表冰塊的溫度上升，這表示和熱能的傳遞「有關係」

◯ ④熱能的傳遞會讓兩個物質的溫度變得一樣，此時熱能就不再傳遞。　溫度相同的物質之間不會有熱傳導，故正確

Q 豐臣秀吉為了防止平民武裝起義，在**1588**年頒布刀狩令，自農家與寺院強制徵收刀、槍等武器。

問　請依據上文，選出敘述正確的選項。

( )　①刀狩令是指以高價向農民收購武器，目的是讓金錢流通到農民手上。

②豐臣秀吉認同農民起義，但為了防範危險發生，所以頒布刀狩令。

③農民失去武器，要反抗豐臣秀吉就更加困難。

④頒布刀狩令之後，只要農民有意願，都可以再次拿起武器成為武士。

解答在下一頁 ▶

A ③

目的

豐臣秀吉為了防止平民武裝起義，在1588年頒布刀
狩令，自農家與寺院強制徵收刀、槍等武器。

統整一下
題目訊息

秀吉

強制徵收武器 → 防止武裝起義

農家與
寺院

失去武器 → 難以發動起義

✗ ①刀狩令是指以高價向農民收購武器，目的是讓金錢流通
到農民手上。

> 刀狩令的目的是「防止起義」

✗ ②豐臣秀吉認同農民起義，但為了防範危險發生，所以頒
布刀狩令。

> 因為刀狩令的目的是「防範起義」，代表他並不認同起義

◯ ③農民失去武器，要反抗豐臣秀吉就更加困難。

> 從題目可以推測出沒有武器，就不容易起義（反抗）

✗ ④頒布刀狩令之後，只要農民有意願，都可以再次拿起武
器成為武士。

> 題目已經說明農民的武器都被強制徵收了

Q 含有碳元素的物質稱為有機物，例如紙或塑膠都是有機物。而燃燒碳元素會產生二氧化碳。

問　請依據上文，選出敘述正確的選項。

(　　) ①燃燒氫氣會產生水，因此氫氣是有機物。

②燃燒鐵雖然不會產生二氧化碳，但因為鐵能燃燒，所以是有機物。

③燃燒免洗筷會產生二氧化碳，由此可知免洗筷是有機物。

④燃燒紙會產生二氧化碳，燃燒塑膠時不會產生二氧化碳。

A ③

含有碳元素的物質稱為有機物，例如紙或塑膠都是有機物。而燃燒碳元素會產生二氧化碳。

有機物

含有**碳**元素

統整一下題目訊息　燃燒時會產生二氧化碳

紙　　塑膠

✗ ①燃燒氫氣會產生水，因此氫氣是有機物。

> 燃燒時沒有產生二氧化碳，所以氫氣不算有機物

✗ ②燃燒鐵雖不會產生二氧化碳，但因為鐵能燃燒，所以是有機物。

> 燃燒時沒有產生二氧化碳，所以鐵不算有機物

○ ③燃燒免洗筷會產生二氧化碳，由此可知免洗筷是有機物。

> 因為燃燒時產生二氧化碳，所以能推斷免洗筷是有機物

✗ ④燃燒紙會產生二氧化碳，燃燒塑膠時不會產生二氧化碳。

> 題目提到「塑膠是有機物」，所以它燃燒時會產生二氧化碳

6

圖表好複雜，
該先看哪裡？

圖表題：閱讀圖表的技巧

在閱讀圖表前，先看題目的文字！

!

POINT

圖或表格中含有大量的資訊，如果無法馬上抓住重點，時間可能就不夠用了，因此，

要先讀題目的敘述！

依據題目的文字，來判斷圖表所需要注意的地方吧！

此外，將從題目中得到的訊息寫在圖表上，也可以讓圖表更容易理解。

Q 1　日本各能源別發電量占比（2013年度）

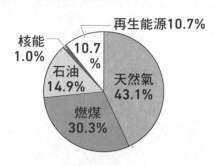

再生能源10.7%

核能
1.0%

石油
14.9%

10.7
%

天然氣
43.1%

燃煤
30.3%

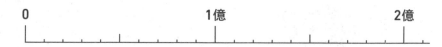

問　請依據上方圖表，想一想以下敘述是否正確？

（　　）燃煤和石油的發電量總和，比天然氣的發電量少。

Q 2

0　　　　　　　　　　1億　　　　　　　　　2億

問　請依據上方圖表，想一想以下敘述是否正確？

（　　）這條直線的每1個刻度代表100萬。

解答在下一頁 ▸

A1　不正確

日本各能源別發電量占比（2013年度）

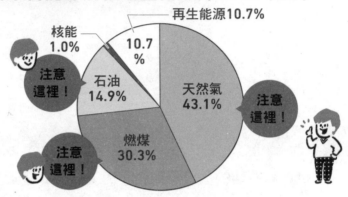

再生能源10.7%

核能 1.0%
注意這裡！

10.7%

石油 14.9%

天然氣 43.1%
注意這裡！

燃煤 30.3%
注意這裡！

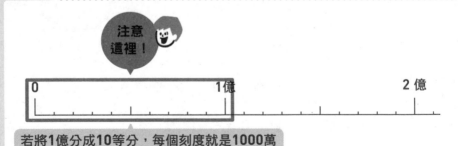

| 30.3 | 14.9 | 30.3＋14.9＝45.2 | 43.1 |

✕ 燃煤和石油的發電量總和，比天然氣的發電量少。

45.2＞43.1，所以此敘述不正確

A2　不正確

注意這裡！

0　　　　　　　　　　　　　　1億　　　　　　　　　　2億

若將1億分成10等分，每個刻度就是1000萬

✕ 這條直線的每1個刻度代表100萬。

不是100萬，而是1000萬

Q1

	開花之前		開花之後	
雄蕊前端		花粉尚未釋出		花粉釋出
雌蕊前端		沒有沾附任何東西		沾附了花粉

問 請依據上方圖表，想一想以下敘述是否正確？

（ ） 開花之後，雄蕊的前端會釋出花粉。

Q2

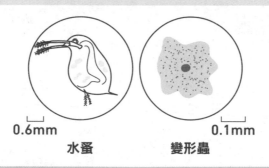

0.6mm
水蚤

0.1mm
變形蟲

問 請依據上圖，想一想以下敘述是否正確？

（ ） 變形蟲是比水蚤還要大的生物。

解答在下一頁 ▸

02 解答

A1 正確

	開花之前		開花之後	
雄蕊前端	(圖)	花粉尚未釋出	(圖)	花粉釋出
雌蕊前端	(圖)	沒有沾附任何東西	(圖)	沾附了花粉

注意這裡！

◎ 開花之後，雄蕊的前端會釋出花粉。

> 和圖表內容一致

A2 不正確

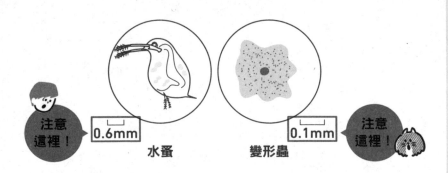

注意這裡！

0.6mm
水蚤

0.1mm
變形蟲

注意這裡！

✕ 變形蟲是比水蚤還要大的生物。

> 變形蟲放大倍率比較大，所以比水蚤還要小

Q1

不同水溫下各物質溶解情況的差異

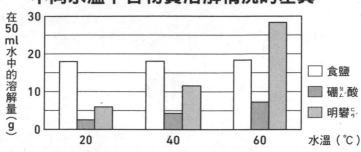

在50 ml水中的溶解量（g）

水溫（℃）

食鹽
硼ㄆㄥ酸
明礬ㄈㄢ

問 請依據上方圖表，想一想以下敘述是否正確？

（　）即使水溫升高，所有物質在水中的溶解量仍不變。

Q2

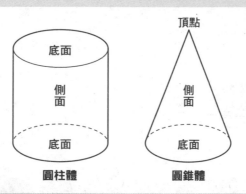

頂點

底面
側面
底面
圓柱體

側面
底面
圓錐體

問 請依據上圖，想一想以下敘述是否正確？

（　）圓柱體和圓錐體的底面數量相同。

解答在下一頁 ▶

03 解答

A1 不正確

不同水溫下各物質溶解情況的差異

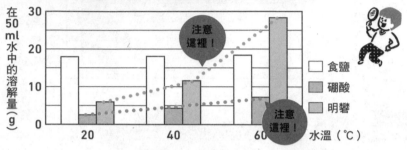

食鹽的溶解量不變，而硼酸和明礬的溶解量增加

❌ 即使水溫升高，所有物質在水中的溶解量仍不變。

只有食鹽的溶解量不變，因此不正確

A2 不正確

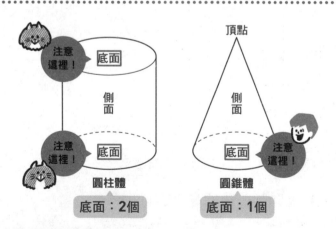

❌ 圓柱體和圓錐體的底面數量相同。

圓柱體的底面數量是2個，圓錐體的底面數量是1個，因此不正確

Q1

流經日本四國地區的河流

| 問 | 請依據上方圖表，想一想以下敘述是否正確？ |

（ 　 ） 日本四國地區的所有河流，全都通過縣與縣之間的
　　　　邊界。

Q2

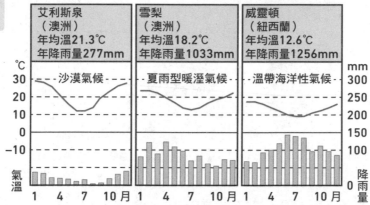

| 問 | 請依據上方圖表，想一想以下敘述是否正確？ |

（ 　 ） 澳洲有兩個以上的氣候區。

解答在下一頁 ▸

A1 不正確

流經日本四國地區的河流

土器川
重信川
吉野川
香川縣
愛媛縣
肱川
德島縣
那賀川
高知縣
仁淀川　物部川
四萬十川

也有不流經縣界的河川

✕ 日本四國地區的所有河流，全都通過縣與縣之間的邊界。

從地圖可知此敘述並不正確

A2 正確

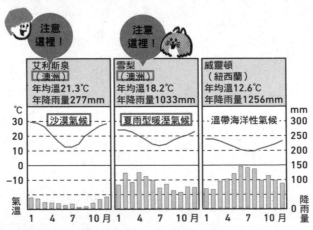

注意這裡！

注意這裡！

| 艾利斯泉（澳洲）年均溫21.3℃年降雨量277mm | 雪梨（澳洲）年均溫18.2℃年降雨量1033mm | 威靈頓（紐西蘭）年均溫12.6℃年降雨量1256mm |

沙漠氣候　　夏雨型暖溼氣候　　溫帶海洋性氣候

○ 澳洲有兩個以上的氣候區。

至少有沙漠氣候和夏雨型暖溼氣候兩種，因此正確

Q1

正方形的個數

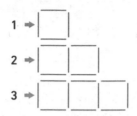

1 ➡
2 ➡
3 ➡

| 問 | 請依據上圖，想一想以下敘述是否正確？ |

（　　）每增加一個正方形，就增加**4**條線段。

Q2

日本主要漆器生產地區

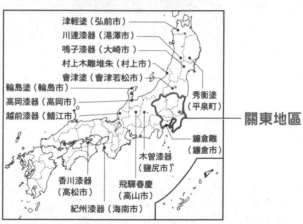

津輕塗（弘前市）
川連漆器（湯澤市）
鳴子漆器（大崎市）
村上木雕堆朱（村上市）
會津塗（會津若松市）
輪島塗（輪島市）
高岡漆器（高岡市）
越前漆器（鯖江市）
秀衡塗（平泉町）
關東地區
鐮倉雕（鐮倉市）
木曾漆器（鹽尻市）
香川漆器（高松市）
飛驒春慶（高山市）
紀州漆器（海南市）

| 問 | 請依據上方圖表，想一想以下敘述是否正確？ |

（　　）主要的漆器生產地區都集中在關東地區。

解答在下一頁 ▶

05 解答

A1 不正確

正方形的個數

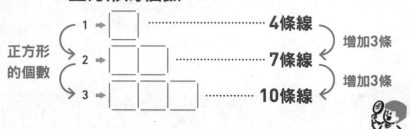

正方形
的個數

1 → 　　　⋯⋯⋯⋯ **4條線**
2 → 　　　⋯⋯⋯⋯ **7條線** ｝增加3條
3 → 　　　⋯⋯⋯⋯ **10條線** ｝增加3條

✕ 每增加一個正方形，就增加**4**條線段。

正確為增加3條線

A2 不正確

日本主要漆器生產地區

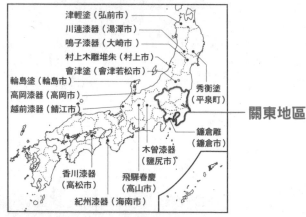

津輕塗（弘前市）
川連漆器（湯澤市）
鳴子漆器（大崎市）
村上木雕堆朱（村上市）
會津塗（會津若松市）
輪島塗（輪島市）
高岡漆器（高岡市）
越前漆器（鯖江市）

秀衡塗
（平泉町）

關東地區

鎌倉雕
（鎌倉市）

木曽漆器
（鹽尻市）

飛驒春慶
（高山市）

香川漆器
（高松市）

紀州漆器（海南市）

✕ 主要的漆器生產地區都集中在關東地區。

關東地區只有鎌倉市為主要漆器產地，所以「集中」是錯的

Q1

相同質量下，水的狀態和體積變化

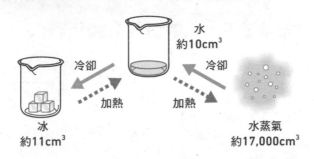

水
約10cm³

冷卻

冷卻

加熱

加熱

冰
約11cm³

水蒸氣
約17,000cm³

| 問 | 請依據上圖，想一想以下敘述是否正確？ |

（　　）在相同質量下進行比較，水、冰和水蒸氣中，水蒸氣的體積最大。

Q2

利用吸塵器抽出袋中的
空氣以壓縮棉被

吸塵器

棉被壓縮袋

| 問 | 請依據上圖，想一想以下敘述是否正確？ |

（　　）棉被中含有空氣。

解答在下一頁 ▶

A1 正確

相同質量下，水的狀態和體積變化

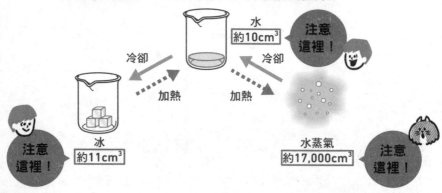

水
約10cm³

冷卻 冷卻
加熱 加熱

注意這裡！

冰
約11cm³

注意這裡！

水蒸氣
約17,000cm³

注意這裡！

在相同質量下進行比較，水、冰和水蒸氣中，水蒸氣的體積最大。

觀察數字，水蒸氣的體積最大，所以正確

A2 正確

注意這裡！

利用吸塵器抽出袋中的空氣以壓縮棉被。

吸塵器

棉被壓縮袋

把袋中的空氣抽出，棉被變扁，意味著也將棉被裡的空氣排出

棉被中含有空氣。

因為壓縮棉被時，是將空氣從袋中的棉被抽出，所以正確

Q 1

| 問 | 依據上圖，下方選項哪個正確？ |

（ 　） ①裝果汁的保特瓶不屬於可燃垃圾。
　　　 ②裝果醬的玻璃罐屬於可燃垃圾。

Q 2

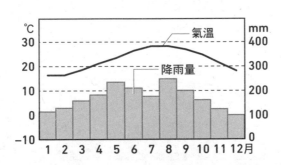

| 問 | 依據上圖，下方選項哪個正確？ |

（ 　） ①溫度越高的月分，降雨量就越多。
　　　 ②9月的降雨量大約為200mm。

解答在下一頁 ▸

07 解答

A1 ①

○ ①裝果汁的保特瓶不屬於可燃垃圾。

> 因為保特瓶有專屬的垃圾分類,所以正確

✕ ②裝果醬的玻璃罐屬於可燃垃圾。

> 果醬罐要放入瓶罐類的垃圾桶,不屬於可燃垃圾

A2 ②

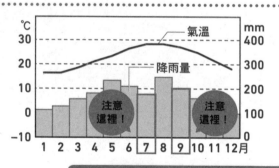

> 7月分的氣溫高但是降雨量少,因此不正確

✕ ①溫度越高的月分,降雨量就越多。

○ ②9月的降雨量大約200mm。

> 可以從圖中的數據得知

Q1 日本主要港口貿易額（2013年，財務省貿易統計）

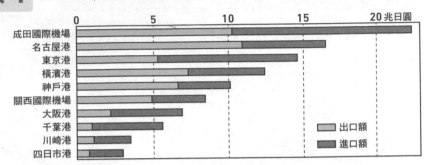

問 依據上圖，下方選項哪個正確？

（ ） ①成田國際機場的貿易額不到神戶港的**2**倍。
②有**6**個港口的進口額大於出口額。

Q2 某初中的入學人數

	去年	今年
女生（人數）	95	100
男生（人數）	102	98

問 依據上圖，下方選項哪個正確？

（ ） ①去年男女入學人數總和比今年多。
②去年男女入學人數的差比今年多。

08 解答

A1 ②

日本主要港口貿易額（2013年，財務省貿易統計）

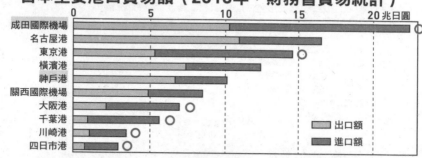

港口	
成田國際機場	
名古屋港	
東京港	
橫濱港	
神戶港	
關西國際機場	
大阪港	
千葉港	
川崎港	
四日市港	

出口額　進口額

超過20兆日圓　　約10兆日圓×2＝約20兆日圓

✗ ①成田國際機場的貿易額不到神戶港的2倍。

○ ②有6個港口的進口額大於出口額。　應為「大於2倍」

圖表中畫○者為進口額大於出口額，共6個

A2 ②

某初中的入學人數

	去年	今年
女生（人數）	95	100
男生（人數）	102	98

✗ ①去年男女入學人數總和比今年多。　今年比較多，所以不正確

95＋102＝197　　100＋98＝198

○ ②去年男女入學人數的差比今年多。

男生102－女生95＝7　　女生100－男生98＝2

可知去年男女入學人數的差比今年多

解題時間 ▸ ⏱ 1 分鐘

難易度
★ ★ ★ ☆ ☆

Q 以東京為中心點的等距方位投影地圖

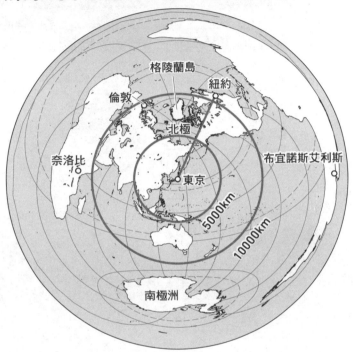

問　依據上圖，下方選項哪個正確？

（　）①比起紐約，倫敦離東京更遠。
　　　②以東京為基準，布宜諾斯艾利斯和奈洛比的位置
　　　　正好位於相反方向。

A　②

以東京為中心點的等距方位投影地圖

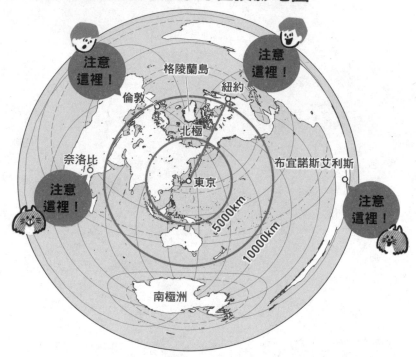

✖ ①比起紐約，倫敦離東京更遠。

> 從地圖上看來，紐約在10000km圈外，離東京更遠

⭕ ②以東京為基準，布宜諾斯艾利斯和奈洛比的位置正好位於相反方向。　大約在東邊　大約在西邊

> 因為一個在東邊，一個在西邊，所以正確

Q **日本大型工廠與中小型工廠的比例（2014年）**

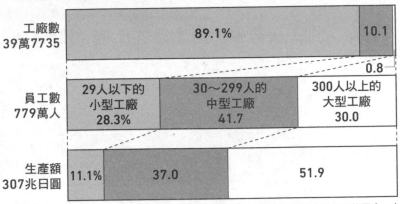

工廠數
39萬7735

| 89.1% | 10.1 |

0.8

員工數
779萬人

| 29人以下的小型工廠 28.3% | 30～299人的中型工廠 41.7 | 300人以上的大型工廠 30.0 |

生產額
307兆日圓

| 11.1% | 37.0 | 51.9 |

（資料來源：2018／19年版「日本國勢圖會」）

問　依據上方圖表，下方選項哪個正確？

( )　①在大型工廠工作的員工總人數為**300人**。
　　　②中小型工廠數量的占比很高，為總數的**99%**以上。
　　　③中小型工廠的生產額占比，比大型工廠略高。
　　　④中小型工廠的每人平均薪資與大型工廠的每人平均
　　　　薪資相當。

解答在下一頁 ▸ 　**117**

A　②

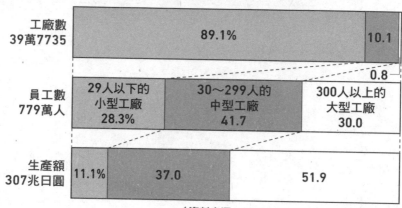

日本大型工廠與中小型工廠的比例（2014年）

工廠數 39萬7735	89.1%	10.1

0.8

員工數 779萬人	29人以下的 小型工廠 28.3%	30～299人的 中型工廠 41.7	300人以上的 大型工廠 30.0

生產額 307兆日圓	11.1%	37.0	51.9

（資料來源：2018／19年版「日本國勢圖會」）

✕ ①在大型工廠工作的員工總人數為**300人**。

　　大型工廠的定義是員工為**300人以上**，並非只有**300人**

◯ ②中小型工廠數量的占比很高，為總數的**99%**以上。

　　小**89.1**＋中**10.1**＝**99.2**（％）　　敘述正確

✕ ③中小型工廠的生產額占比，比大型工廠略高。

　　小**11.1**＋中**37.0**＝**48.1**（％）　　**51.9**（％）　　應為「略低」

✕ ④中小型工廠的每人平均薪資與大型工廠的每人平均薪資相當。

　　圖表並未提及個人平均薪資的數值

Q

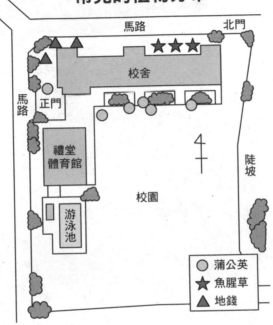

常見的植物分布

馬路　　　　北門

★★★

校舍

馬路　正門

禮堂
體育館

游泳池

校園

陡坡

○ 蒲公英
★ 魚腥草
▲ 地錢

問　依據上圖，下方選項哪個正確？

（　）①校園中央有許多植物分布。
　　　②蒲公英和地錢的分布區域相似。
　　　③蒲公英大多分布在日照良好的校舍南側。
　　　④魚腥草喜歡潮溼的地方，所以分布在游泳池附
　　　　近。

解答在下一頁 ▶

A ③

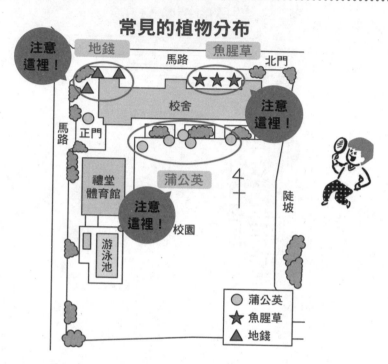

常見的植物分布

地錢　馬路　魚腥草　北門

注意這裡！

校舍

注意這裡！

馬路　正門

蒲公英

注意這裡！　校園

禮堂體育館

游泳池

陡坡

- ○ 蒲公英
- ★ 魚腥草
- ▲ 地錢

❌ ①校園中央有許多植物分布。
> 根據圖表，植物大多分布在校園周邊

❌ ②蒲公英和地錢的分布區域相似。
> 根據圖表，兩者分布在不同位置

⭕ ③蒲公英大多分布在日照良好的校舍南側。
> 圖中的校舍下方正是南邊位置，故正確

❌ ④魚腥草喜歡潮溼的地方，所以分布在游泳池附近。
> 根據圖表，魚腥草分布在校舍北側，而非游泳池附近

Q

風級、風速對照表

級數	風力描述	風速（m/s）
0	靜謐無風，煙霧直升。	0～0.2
1	煙霧飄動，但風向計不動。	0.3～1.5
2	感覺風撫過臉龐，樹葉晃動。	1.6～3.3
3	樹葉和小樹枝不停搖動，海面偶爾出現白浪。	3.4～5.4
4	塵土飛揚，小樹枝明顯擺動，海面上的白浪增加。	5.5～7.9
5	茂密樹木開始搖晃。海面上密布白浪。	8.0～10.7
6	大樹枝明顯晃動，風吹過電線產生風聲，難以撐傘，波浪頂部泛出白泡。	10.8～13.8
7	整棵樹搖晃，難以逆風而行。海面上的白浪變得更高。	13.9～17.1
8	小樹枝被吹斷，無法逆風行走，海面白浪破碎，形成水霧。	17.2～20.7
9	建築物可能受到輕微損害，海上出現巨浪。	20.8～24.4
10	樹木被連根拔起，建築物遭受重大損害，海上出現狂浪。	24.5～28.4
11	建築物嚴重受損，海面上會出現像山一樣高的極巨浪。	28.5～32.6
12	風力更為猛烈，海上船隻恐翻覆。	32.7以上

問　依據上方圖表，下列選項哪個正確？

（　）①風力以12級表示。
　　　②風力為0級時，完全無風。
　　　③3級風以上，海面開始形成白浪。
　　　④風速不超過32.7m/s。

解答在下一頁 ▶

12 解答

A ③

風級、風速對照表

級數	風力描述	風速（m/s）
0	靜謐無風，煙霧直升。	0～0.2
1	煙霧飄動，但風向計不動。	0.3～1.5
2	感覺風撫過臉龐，樹葉晃動。	1.6～3.3
3	樹葉和小樹枝不停搖動，海面偶爾出現白浪。	3.4～5.4
4	塵土飛揚，小樹枝明顯擺動，海面上的白浪增加。	5.5～7.9
5	茂密樹木開始搖晃。海面上密布白浪。	8.0～10.7
6	大樹枝明顯晃動，風吹過電線產生風聲，難以撐傘，波浪頂部泛出白泡。	10.8～13.8
7	整棵樹搖晃，難以逆風而行。海面上的白浪變得更高。	13.9～17.1
8	小樹枝被吹斷，無法逆風行走，海面白浪破碎，形成水霧。	17.2～20.7
9	建築物可能受到輕微損害，海上出現巨浪。	20.8～24.4
10	樹木被連根拔起，建築物遭受重大損害，海上出現狂浪。	24.5～28.4
11	建築物嚴重受損，海面上會出現像山一樣高的極巨浪。	28.5～32.6
12	風力更為猛烈，海上船隻恐翻覆。	32.7以上

共13級

✗ ①風力以**12級**表示。
> 風力從0～12共有13級

✗ ②風力為0級時，**完全無風**。
> 此時風速為0～0.2，並非完全無風

◯ ③**3級**風以上，**海面開始形成白浪**。
> 從圖表可知此選項正確

✗ ④風速不超過**32.7m/s**。
> 12級風的定義為「32.7m/s以上」，故不正確

Q

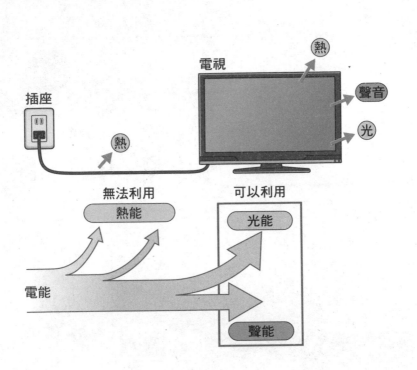

| 問 | 依據上圖，下列選項哪個正確？ |

( )　①從插座輸出電能到電視的過程中，雖然產生了熱
　　　能，但電能並未減少。

　　　②電視是一種只能將電能轉換成光和聲音的電器。

　　　③電視可以將電能完全轉換成光能和聲能。

　　　④電視所利用的能量比插座輸出的能量還少。

解答在下一頁 ▸

A　④

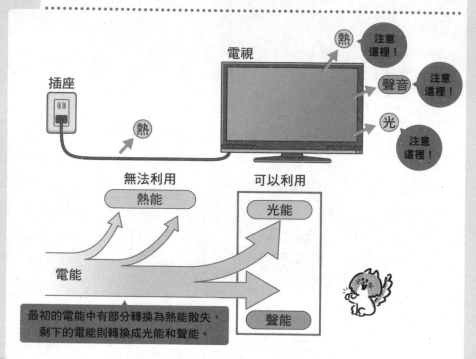

插座

熱

電視

熱 注意這裡！

聲音 注意這裡！

光 注意這裡！

無法利用
熱能

可以利用
光能

電能

聲能

最初的電能中有部分轉換為熱能散失，
剩下的電能則轉換成光能和聲能。

❌ ①從插座輸出電能到電視的過程中，雖然產生了熱能，但電能並未減少。

由圖可知，插座輸出電能的過程中，電能會減少

❌ ②電視是一種只能將電能轉換成光和聲音的電器。

由圖可知電視會將電能轉換成熱、光和聲音

❌ ③電視可以將電能完全轉換成光能和聲能。

在產生光和聲音的同時也會產生熱，因此也有熱能產生

⭕ ④電視所利用的能量比插座輸出的能量還少。

由圖可知從，插座輸出的能量在傳輸過程中逐漸減少，因此正確

結語

將「速讀力」培養成終身技能

經過一連串的訓練，有什麼感想？

你能正確理解所有題目嗎？

如同「前言」當中所提到的，這本書中收錄的練習題都是以讀懂教科書程度的文章為目標，為了增進基礎閱讀理解能力而設計。

如果在解題時答錯了，請仔細閱讀解析，並且再嘗試一次。當你能用與解答相同的邏輯向其他人解說這道問題時，你的理解應該已經加深不少。

此外，本書將基礎閱讀理解能力分為6個主題進行訓練。回顧自己的成績，你可能會發現自己不擅長的題型領域。

我們希望你多次練習本書中的問題，直到能夠快速且準確地理解題目。藉由反覆訓練，你將會發現閱讀文章變得更加容易了。

日本速腦速讀協會致力於透過推廣及培養「速讀力」，幫助大眾增進閱讀能力、學習力及工作力，期望培育出能夠貢獻社會的優秀人才。

經過本書訓練後，你所掌握的「速讀力」將會成為學習、考試以及成為社會人士後，相伴你一生的重要技能。

我相信這本書將成為各位提高自身能力的起點。

最後，我們在製作本書的過程中，獲得柳生好之老師對於題目和解答的許多寶貴監修意見。此外，從企劃到出版過程中，我們也得到了KANKI出版社的中森良美老師大力協助。在此，我們要再次表達感激之情。

一般社團法人 **日本速腦速讀協會**

野人家228

1分鐘「閱讀素養」訓練＝快速大腦＋讀懂題目＋專注＋靈活運用

作　　者　一般社團法人日本速腦速讀協會
監　　修　柳生好之
譯　　者　劉子韻

野人文化股份有限公司
社　　長　張瑩瑩
總 編 輯　蔡麗真
副 主 編　徐子涵
責任編輯　余文馨
行銷企劃經理　林麗紅
行銷企劃　李映柔、蔡逸萱
封面設計　周家瑤
內頁排版　菩薩蠻電腦科技有限公司

出　　版　野人文化股份有限公司
發　　行　遠足文化事業股份有限公司(讀書共和國出版集團)
　　　　　地址：231新北市新店區民權路108之2號9樓
　　　　　電話：（02）2218-1417　傳真：（02）8667-1065
　　　　　電子信箱：service@bookrep.com.tw
　　　　　網址：www.bookrep.com.tw
　　　　　郵撥帳號：19504465遠足文化事業股份有限公司
　　　　　客服專線：0800-221-029
法律顧問　華洋法律事務所　蘇文生律師
印　　製　博客斯彩藝有限公司
初版首刷　2023年07月
初版二刷　2024年01月

ISBN 978-986-384-886-8(平裝)
ISBN 978-986-384-887-5(EPUB)
ISBN 978-986-384-888-2(PDF)

1- PUN YOMITORE!
by Nihonsokunousokudokukyoukai
Copyright © 2022 Nihonsokunousokudokukyoukai
Original Japanese edition published by KANKI
PUBLISHING INC.
All rights reserved
Chinese (in Complicated character only) translation
rights arranged with
KANKI PUBLISHING INC. through Bardon-
Chinese Media Agency, Taipei.

國家圖書館出版品預行編目（CIP）資料

1分鐘「閱讀素養」訓練＝快速大腦＋讀懂題
目＋專注＋靈活運用 / 一般社團法人日本速腦
速讀協會著；劉子韻譯. -- 初版. -- 新北市：野
人文化股份有限公司出：遠足文化事業有限公
司發行, 2023.07
　面；　公分. -- (野人家；228)
譯自：1分読みトレ！
ISBN 978-986-384-886-8(平裝)

1.CST: 速讀 2.CST: 讀書法

019.1　　　　　　　　　　　112009398

線上讀者回函專用QR
CODE，你的寶貴意
見，將是我們進步的
最大動力。

野人文化　野人文化
官方網頁　讀者回函